KB193726

慈悲道場懺法

耘虛 龍夏 譯

자비도량참법 제5권 · 제6권

찍은날 | 불기 2565년(서기2021년) 4월 4일
펴낸날 | 불기 2565년(서기2021년) 4월 18일

엮은이 | 운허 용하
펴낸이 | 김지숙
펴낸곳 | 북도드리
등록번호 | 제 2017-88호

전화 | 02) 868-3018
팩스 | 02) 868-3019
주소 | 서울 금천구 가산디지털 2로 98, B212(가산동, 롯데IT캐슬)
전자우편 | bookakdma@naver.com
I S B N | 979-11-964777-4-5 (14220)
I S B N | 979-11-964777-1-4 (전5권)
값 22,000원(전5권 1세트)

| 잘못된 책은 바꾸어드립니다.
| 법공양하실 분, 특별주문, 불교관련 서적 출판해드립니다.

 이 도서의 국립중앙도서관 출판예정도서목록(CIP)은 서지정보유통지원시스템 홈페이지
(http://seoji.nl.go.kr)와 국가자료종합목록시스템(http://www.nl.go.kr/kolisnet)에서 이
용하실 수 있습니다. (CIP제어번호 : CIP2019002209)

慈悲道場懺法

耘虛 龍夏 譯

제5권 / 제6권

북도드리
도서출판

차 례

자비도량참법

慈悲道場懺法

제5권

9. 해원석결 解寃釋結 ①

자비도량참법

慈悲道場懺法

제5권

찬 讚

기타祇陀숲 동산의 과일 맛이 참 좋아

청과靑瓜, 홍시, 아리양阿梨樣과

여지荔枝와 용안육龍眼肉 공양할 만하고

암마라唵麻羅 열매 세상에 짝이 없어

바라문들이 연화대 위에 올리네.

나무 보공양보살마하살 保供養菩薩摩訶薩(3번)

들사오니

5안眼을 갖추신 부처님

광명 어린 묘한 몸매 나투시고

5승乘의 가르침을 열어
반야의 경전을 펴시니
55위 성현은 생각마다 보리가 원만하고
5근根과 5력力의 보살이
해탈한 인연이라,
귀의하면 복전福田이 증장하고
예경하면 죄악이 소멸하며
고요하여 요동하지 않으나
감동하면 통하시나니
자비한 광명으로
참회하는 일을 증명하소서.
지금 참회하는 저희들
자비도량참법을 수행하오며
이제 제5권의 연기를 당하여
삼가 향과 등과 과실을 갖추어
불·보살과 성현께 공양하옵고
크신 명호를 염하오며
귀의하고 정성 드리나이다.

생각건대 저희들

무시이래無始以來로 지금까지

5온蘊의 몸을 잘못 알아

5탁악세를 헤매며

다섯 가지 욕락浴樂에 속박되고

다섯 가지 티끌(번뇌의 대상)에 미혹하였으며

5역죄를 없애지 못하여

사랑하고 미워하는 생각이 일어나고

다섯 가지 법 깨닫지 못하여

번뇌의 망정妄情이 증장하나이다.

인연이 어기지 아니하니

업과業果를 피하기 어렵도다.

이제 이 대중 간절한 정성으로

해탈문을 제각기 열고

가르침에 귀의하여

허물을 씻나이다.

저희들 마음 이러함을

부처님 살피옵소서.

넓은 자비를 우러러 사모하오니
가피를 드리우소서.
부처님 몸매 유리같이 청정하시고
부처님 얼굴 보름달처럼 단정하시며
부처님 이 세상에서 괴로움을 구제하심에
부처님 마음 간 곳마다 자비하시네.

입참 入懺

자비도량참법을 수행하오며
3세 부처님께 귀의하나이다.

지심귀명례 과거 비바시불 過去毘婆尸佛

지심귀명례 시기불 尸棄佛

지심귀명례 비사부불 毘舍浮佛

지심귀명례 구류손불 拘留孫佛

지심귀명례 구나함모니불 拘那含牟尼佛

지심귀명례 가섭불 迦葉佛

지심귀명례 본사 석가모니불 本師釋迦牟尼佛

지심귀명례 당래 미륵존불 當來彌勒尊佛

9. 해원석결 解冤釋結 ①

오늘, 이 도량의 동업대중이여, 일체중생에게는 다 원한의 대상이 있나니, 어떻게 아는가. 만일 원한의 대상이 없으면 악도惡道가 없을 터인데 이제 악도가 쉬지 아니하고 3도가 항상 끓으므로 원한의 대상이 끝이 없음을 아느니라. 경에 말씀하시기를, '일체중생이 모두 마음이 있고, 마음이 있는 이는 다 부처님이 될 수 있건만, 중생들의 생각이 전도하여 세간에만 탐착하고 벗어날 요령을 알지 못하며, 고통의 근본을 세워 원수를 기르나니, 그러므로 3계에 윤회하고 6도에 왕래하면서 몸을 버리고 몸을 받아 잠깐도 쉬지 못한다.' 하였느니라.

어찌하여 그러한가. 일체중생이 무시이래로 암매한 생각을 서로 전하면서 무명에 덮이고, 애욕에 빠져 3독을 일으키며 4전도를 일으키고, 3독으로부터 10번뇌가 일어나고, 신견身見을 의지하여 5견見이 일어나며, 5견으로부터 62견이 일어나고, 몸과 입과 뜻을 의지하여 10악을 일으키나니, 몸으로는 살생·도둑질·음행과, 입으로는 망어·기어·양설·악구와, 뜻으로는 탐심·진심·치심을 일으켜 스스로 10악을 행하고, 다른 이도 10악을 행하게 하면서 열 가지 악법을 찬탄하느니라. 10악법을 찬탄하는 이는 몸·입·뜻으로 40종류의 악을 일으키며, 또 6정情을 의지하여 6진塵을 탐착하고, 내지 8만4천 진로문塵勞門을 열어 놓느니라. 1념 동안에 62견을 일으키고, 1념 동안에 40종류의 악을 행하고, 1념 동안에 8만4천의 진로문을 열거늘, 하물며 하루에 일으키는 여러 죄와 일생 동안 일으키는 여러 가지 죄야 오죽하겠는가.

이러한 죄악이 무량무변하여 원한의 대상이 서로 만나 그칠 때가 없건만, 중생들이 어리석은 탓으로 무명은 지혜를 덮고, 번뇌는 마음을 덮어서 스스로 알지 못하고, 마음이 전도하여 경의 말씀을 믿지 않고, 부처님 말씀을 따르지 않고, 원결을 풀 줄을 알지 못하고, 해탈하기를 희망하지 않으며, 스스로 악도에 들어가는 것이 불에 덤비는 나비와 같아서, 많은 세월을 지내면서 무량한 고통을 받느니라.

가령 업보가 끝이 나서 사람이 된다 하더라도 이런 악인은 고칠 줄을 모르나니, 그러므로 '모든 성현들이 대자대비한 마음을 일으키는 것은 이 같은 원한의 대상이 되는 중생을 위함이다.' 하였다.

저희들이 서로 보리심을 발하고 보살도를 행하오니, 보살 마하살께서는 괴로움을 구원하는 것으로 양식을 삼고, 원결을 푸는 것으로 도행을 삼으며, 중생을 버리지 않고 괴로움을 참는 것으로 근본을 삼으소서. 저희들도 오늘 그와 같이 용맹심을 일으키고 자비심을 내며, 여래와 같은 마음으로 부처님의 힘을 받자와 도량의 기를 세우고 감로의 북을 치며, 지혜의 활과 견고한 화살로 4생 6도와 3세의 원수와 부모와 사장과 6친과 권속을 위하여 원결을 푸옵나니, 맺어진 원결은 모두 풀어버리며, 아직 맺지 않은 원결은 끝까지 맺지 아니하리니, 바라옵건대 모든 부처님과 큰 보살들께서는 자비력과 본원력本願力과 신통력으로 가피하사 두호하시고 굴복시켜 섭수하시어, 3세의 무량한 원결로 하여금 오늘부터 보리에 이를 때까지 풀리게 하시고 다시 맺지 않게 하며, 모든 괴로움을 필경까지 끊게 하여 지이다. 서로 지극한 마음으로 다같이 간절하게 5체투지하옵고, 4생 6도의 3세의 원수와 부모와 사장과 일체권속을 위하여 세간의 대자대비하신 부처님께 귀의하나이다.

지심귀명례 미륵불 彌勒佛

지심귀명례 석가모니불 釋迦牟尼佛

지심귀명례 선의불 善意佛

지심귀명례 이구불 離垢佛

지심귀명례 월상불 月相佛

지심귀명례 대명불 大名佛

지심귀명례 주계불 珠髻佛

지심귀명례 위맹불 威猛佛

지심귀명례 사자보불 師子步佛

지심귀명례 덕수불 德樹佛

지심귀명례 환석불 歡釋佛

지심귀명례 혜취불 慧聚佛

지심귀명례 안주불 安住佛

지심귀명례 유의불 有意佛

지심귀명례 앙가타불 鴦伽陀佛

지심귀명례 무량의불 無量意佛

지심귀명례 묘색불 妙色佛

지심귀명례 다지불 多智佛

지심귀명례 광명불 光明佛

지심귀명례 견계불 堅戒佛

지심귀명례 길상불 吉祥佛

지심귀명례 보상불 寶相佛

지심귀명례 연화불 蓮華佛

지심귀명례 나라연불 那羅延佛

지심귀명례 안락불 安樂佛

지심귀명례 지적불 智積佛

지심귀명례 덕경불 德敬佛

지심귀명례 견용정진보살 堅勇精進菩薩

지심귀명례 금강혜보살 金剛慧菩薩

지심귀명례 무변신보살 無邊身菩薩

지심귀명례 관세음보살 觀世音菩薩

또, 시방의 다함없는 모든 3보께 귀의 하옵나니, 이와 같은 3세의 모든 원결로 인하여 지금 6도 중에서 원한의 대상을 만난 이는 부처님의 힘과 법과 성현의 힘으로 이 중생들이 다 해탈을 얻게 하오며, 만일 6도 중에 대상을 만나거나 아직 만나지 아니한 이는 부처님의 힘과 법과 성현의 힘으로 이 중생들이 다시 악취에 들어가지 않게 하며, 다시는 나쁜 마음으로 마주서지 않게 하며, 다시는 해독을 입히지 않고 모든 것을 잊어버려 원수라는 생각이 없게 하며, 모든 허물은 각각 소멸하고 모든 원한을 없애 버리며, 같은 마음으로 화합하여 물과 젖을 탄 듯하며, 모두 기뻐하기를 환희지와 같이하며, 수명이 무궁하고 몸과 마음이 항상 즐거우며, 천당과 극락에 마음대로 왕생하여 옷을 생각하면 옷이 오고, 음식을 생각하면 음식이 오며, 원수를 상대하여 싸우는 소리가 없고, 4지는 변동하는 침해가 없고, 5정情은 티끌에 물들지 말며, 모든 선한 일은 모여들고, 만 가지 악한 것은 소멸되며, 대승심을 내어 보살행을 닦으며, 자비희사와 6바라밀이 모두 구족하고, 생사의 과보를 버리고 함께 정각을 이루어지이다.

오늘, 이 도량의 동업대중이여, 무엇이 원수와 고통의 근본인가 하면, 눈으로 빛을 탐하고, 귀로 소리를 탐하고, 코로 향기를 탐하고, 혀로 맛을 탐하고, 몸으로 보드라움을 탐하여 항상 5진塵의 속박을 받는 것이다. 그러므로 오래도록 해탈하지 못하느니라. 또 6친과 일체 권속이 다 우리들의 3세의 원수이니, 모든 원한의 대상은 다 친한 데서 생기는 것이다. 만일 친한 사이가 없으면 원수도 없을 것이며, 친한 이를 여의면 곧 원수를 여읠 것이니, 무슨 까닭인가. 만일 서로가 다른 고장에 떨어져 있다면 그 두 사람은 마침내 원한의 마음을 일으키지 않을 것이며, 그래서 원한을 일으키는 것은 친함으로부터 생기느니라.

3독으로 인하여 서로 충돌이 생기고, 충돌함으로 해서 원한을 일으킨다. 그러므로 친척과 권속이 서로 원망하며, 혹 부모가 자식을 원망하고, 혹 자식이 부모를 원망하며, 형제와 자매도 모두 그러하여 서로 원망하고 서로 협의하며, 조금만 안 맞아도 성을 내고, 재물이 있으면 친척들이 제가끔 달라고 하나니, 빈궁하면 애초부터 근심이 없느니라. 또 달래서 얻더라도 적게 여기며, 더 주어도 항상 부족하게 생각하며, 백 번 달래서 백 번을 주어도 은혜로 생각지 않으며, 한 번만 마음에 쾌하지 않아도 문득 분노를 일으키느니라. 이리하여 잠깐만 나쁜 생각을 품으면 곧 딴 생각을 내게 되나니, 그러므로 원수를 맺고 화단이 생겨서 대대로 다하지 아니 하느니라. 이것으로 추측해본다면 3세의 원수란, 바로 다른 이가 아니라 모두가 친척과 권속들이니, 권속이 곧 원수가 되는 줄을 알 것이니라.

　그런즉, 마땅히 사람마다 은근히 허물을 뉘우치고, 지극한 마음으로 5체투지하고, 영식靈識이 있은 뒤부터 오늘까지 여러 생의 부모와 여러 겁의 친척과 6도 중에서 원결을 맺은 이와 원한의 대상이나 대상이 아니거나, 경한 이나 중한 이나, 지금 지옥에 있는 이·축생에 있는 이·아귀에 있는 이·아수라에 있는 이·인간에 있는 이·천상에 있는 이·신선 중에 있는 이거나, 오늘 저의 권속 중에 있는 이나, 이러한 3세의 원수와 그들의 권속들을 위하여, 오늘 저희들이 자비심으로 원수라든가 친한 사이라는 생각을 버리고, 부처님 마음과 같이, 부처님 서원과 같이 그들을 위하여 세간의 대자대비하신 부처님께 귀의하나이다.

　　지심귀명례 미륵불 彌勒佛
　　지심귀명례 석가모니불 釋迦牟尼佛
　　지심귀명례 범덕불 梵德佛

지심귀명례 보적불 寶積佛

지심귀명례 화천불 華天佛

지심귀명례 선사의불 善思議佛

지심귀명례 법자재불 法自在佛

지심귀명례 명문의불 名聞意佛

지심귀명례 요설취불 樂說聚佛

지심귀명례 금강상불 金剛相佛

지심귀명례 구이익불 救利益佛

지심귀명례 유희신통불 遊戲神通佛

지심귀명례 이암불 離闇佛

지심귀명례 다천불 多天佛

지심귀명례 미루상불 彌樓相佛

지심귀명례 중명불 衆明佛

지심귀명례 보장불 寶藏佛

지심귀명례 극고행불 極高行佛

지심귀명례 제사불 提沙佛

지심귀명례 주각불 珠角佛

지심귀명례 덕찬불 德讚佛

지심귀명례 일월명불 日月明佛

지심귀명례 일명불 日明佛

지심귀명례 성수불 星宿佛

지심귀명례 사자상불 師子相佛

지심귀명례 위람왕불 違藍王佛

지심귀명례 복장불 福藏佛

지심귀명례 기음개보살 棄陰蓋菩薩

지심귀명례 적근보살 寂根菩薩

지심귀명례 무변신보살 無邊身菩薩

지심귀명례 관세음보살 觀世音菩薩

또, 시방의 다함없는 모든 3보께 귀의 하옵나니, 원컨 대 불력과 법력과 깨달음의 지위가 높은 보살의 힘과 일체 성현의 힘으로써, 6도 중에 있으면서 원한의 대상이 된 저희들의 부모 친척과 그 권속들이 모두 동시에 이 도량에 모여와서 전세의 죄를 참회하고 원결을 풀며, 만일 몸이 장애되어 오지 못하는 이는 3보의 신통력을 받자와 그의 영혼을 섭수하여 함께 와서, 자비심으로 우리들의 이 참회를 받고 원한의 모든 대상들이 해탈을 얻게 하여 지이다.

이 도량의 대중들은 각각 마음으로 생각하고 입으로 말하나이다. 저희들이 영식이 있은 후부터 오늘에 이르기까지 여러 생의 부모와 여러 겁의 친척과 고모·이모·아저씨들과 내외 권속들에게 대하여 탐·진·치로 10악업을 일으키되, 혹은 알지 못하여, 혹은 믿지 못하여, 혹은 수행하지 못함과 무명으로 인하여 원한을 일으켜 부모 권속과, 내지 6도 중에 원결이 있게 되었으며, 이러한 죄가 무량무변하나니, 오늘의 참회로 소멸하여지이다.

또, 무시이래로 오늘에 이르도록 혹은 성을 내고, 혹은 탐욕 때문에, 혹은 어리석어서 가지가지 죄를 지었나니, 이러한 죄악이 무량무변하오니, 뉘우치고 참회하여 소멸되기를 발원하나이다.

또, 무시이래로 오늘에 이르도록 혹 전장田庄을 위하

여, 혹 가택을 위하여, 혹 재물을 위하여 원수될 만한 업을 지으며, 권속들을 살해하는 따위의 죄업이 다 말할 수 없으며, 맺은 원수를 풀 기약이 없는 것을 오늘 부끄러이 여겨 발로 참회하오니, 바라건대 부모 6친과 모든 권속들은 자비한 마음으로 나의 참회를 받고, 모든 것을 풀어 버리고, 다시는 원한을 품지 말기를 원하나이다.

또, 훔치고 사음하고 망어하며, 10악업과 5역죄를 많이 지었고, 전도한 망상으로 여러 경계를 반연하여 모든 죄 지었으니, 이런 죄악이 무량무변한데, 혹 부모에게 지었고, 혹 형제자매에게 지었고, 혹 집안의 어른들에게 지었고, 내지 영식이 있은 때로부터 오늘에 이르도록 6친 권속들에게 일으킨 이러한 죄와 이러한 죄의 원인과 괴로운 과보와 원한의 대상이 된 겁수劫數와 원결이 많고 적음을 오직 시방의 여러 부처님과 지위가 높은 보살이 다 아시고 다 보시리이다. 부처님과 보살들이 아시고 보시는 죄의 수효와 원수 맺은 겁수와, 오는 세상에 받게 될 과보를 저희 제자들이 오늘 참괴하고 통탄하오며 간절하게 자책

하여, 지나간 잘못을 회개하고 다시는 죄를 아니 짓겠사오니, 부모와 친척과 권속들이 부드러운 마음과 화평한 마음과 선善을 좋아하는 마음과 환희한 마음과 수호하는 마음과 여래와 같은 마음으로 저희들의 오늘의 참회를 받고 모두 풀어버려 원수거나 친하거나 하는 생각이 없게 하여 지이다.

또, 바라는 바는 부모와 친척과 모든 권속들로서 원결을 가지고 6도 중에 있는 이와, 다른 6도의 일체중생도 다 함께 풀어버리며 3세의 원결을 일시에 소멸하고, 오늘부터 도량에 이르도록 영원히 3악도를 여의며, 네 갈래의 고통을 끊어버리고, 모두 화합하기를 물에 젖을 탄 듯하고, 일체에 장애됨이 없기를 허공과 같이하며 영원히 법문의 친척과 자비 권속이 되어 무량한 지혜를 각각 닦아 익히며, 일체 공덕을 구족하게 성취하며, 용맹 정진하여 보살도를 행하되 게으름이 없으며, 부처님의 마음과 같고 부처님의 서원과 같아서, 부처님의 3밀(三密: 부처님의 신구의身口意 3업業)을 얻고, 5분법신을 구족하여 끝까지 무상보리를 얻어 등정각을 이루어지이다.

　오늘, 이 도량의 동업대중이여, 우리들이 이미 부모의
원결을 풀었으니, 다음은 스승의 원결을 풀어야 할 것이
니라. 대성大聖으로부터 이하는 아직도 끝까지 원만하지
못하고, 무생법인이라도 3상(三相: 생하고 머물고 멸하는
세 가지 모습)의 변천함이 있나니, 여래께서 오히려 고언苦
言하심은 악한 중생으로 하여금 도를 깨닫게 하려는 것이
니라. 부처님의 그러한 위덕으로도 중생을 교화할 때 그
런 말씀을 하시는데, 하물며 청정한 경계에 이르지 못한
범부야 어떠하겠는가. 지금 선과 악이 섞여서 흑백을 분
별하기 어렵나니, 어찌 3업의 실수가 없으리오. 만일 가
르치는 말을 들을 적에는 스승의 은덕을 무한히 고맙게
생각하고 스스로 자책할지언정, 놀라거나 의심하고서 나
쁜 생각을 품지 말아야 하느니라.

　경에 말씀하시기를, '비록 출가하였을지라도 아직 해
탈치 못하였다.' 하였으니, 출가한 사람이라도 나쁜 일

이 없으리라고 단언할 수 없으며, 세속에 있는 사람이라고 선한 일이 아주 없다고 단언할 수 없느니라.

경에 이런 말이 있다. 부처님이 대중에게 말씀하시기를, '너희는 마땅히 스승의 은혜를 생각하라. 부모가 비록 낳아 기르고 가르친다 하나, 능히 3악도를 여의게 하지 못하지만, 스승은 대자대비로 아이들을 권유하여 출가케 하고 구족계를 받게 하나니, 이는 곧 아라한의 태를 배어 아라한의 과를 낳는 것이며, 생사의 괴로움을 떠나 열반의 낙을 얻게 하느니라.' 하셨다. 스승이 이 같이 출세케 한 은덕이 있으나 누가 능히 갚으리오. 설사 종신토록 도를 행하더라도 자리自利는 될지언정, 스승의 은혜를 갚는 것은 아니니라. 부처님의 말씀에, '천하의 선지식이라도 스승보다 뛰어난 이가 없다.' 하시었느니라.

오늘, 이 도량의 동업대중이여, 부처님의 말씀과 같이 스승이 이러한 은덕이 있건만, 은혜를 갚을 생각을 내지도 않고, 가르치는 말을 믿지도 아니하고, 내지 거친 말로 비방하기도 하고, 도리어 시비를 걸어 불법을 쇠퇴케 하나니, 이런 죄로야 어떻게 3악도를 면할 수 있겠는가. 이런 괴로운 죄보는 대신 받을 이가 없으며, 죽을 때에 낙은 가고 고통이 돌아오면, 정신이 참담하고 뜻이 혼미하여, 6식이 총명하지 못하고 5근이 쇠망하여, 가려 하여도 발을 움직일 수 없고, 앉으려 하여도 몸이 자유롭지 못하여, 설사 법문을 들으려 하나 귀에 들리지 않고, 좋은 경치를 보려 하여도 눈에 보이지 아니하나니, 이런 때를 당하여 오늘날의 예참을 생각한들 무슨 소용이 있겠는가. 다만 지옥의 무량한 고통이 있을 뿐이니, 이런 고통은 제가 지어서 제가 받는 것이니라.

경에 말하기를, '우치하여 제멋대로 하여 앙화를 믿지 아니하고, 스승을 비방하고 스승을 헐뜯고 스승을 미워하고 스승을 질투하는, 이런 무리는 법 중의 큰 악마요 지옥의 종자이니, 스스로 원결을 맺어 무궁한 죄보를 받느니라.' 하였다.

화광華光비구가 법문을 잘하는데, 한 제자가 교만을 품고 화상의 말을 믿지 아니하고 말하기를, '우리 스님은 지혜는 없고 공허한 일만 찬탄하나니, 내가 내생에 나더라도 보고 싶지 않다.' 하면서, 법을 비법이라 말하고, 비법을 법이라 말하며, 계행을 지니되 범하지 아니하였으나, 잘못 해석한 연고로 죽은 뒤에 쏜살같이 아비지옥에 들어가서 18억겁을 지내면서 큰 고통을 받았느니라.

오늘, 이 도량의 동업대중이여, 경의 말씀과 같나니, 어찌 사람마다 두려움을 내지 아니하리오. 스님에게 대하여 나쁜 말 한마디하고도 아비지옥에 떨어져 18억겁을 고생하였는데, 하물며 출가한 후로 오늘까지 스님에게 일으킨 악업이 무량하므로 이 몸이 죽어서는 저 제자와 같을 것이니, 무슨 까닭인가. 화상 아사리가 항상 교훈하여도 그대로 수행하지 아니하고, 스승에 대하여 거역하는 일이 많았으며, 무엇을 주더라도 만족한 생각이 없고, 스승이 제자를 원망하기도 하고, 제자가 스승을 원망하기도 하여 3세 중에 기쁨과 노여움이 한량없었으니, 이러한 죄를 다 말할 수 없기 때문이다.

경에 말하기를, '한 번 진심을 일으키면 원수가 한량이 없다.'고 하였으니, 이런 원수는 6친에게만이 아니고, 스승과 제자 간에도 원한이 많은 것이며, 또 한 방에서 함께 지내는 상上·중中·하좌下座도 그러하여, 출가한 것이 멀리 여의는 법임을 믿지 않으며, 인욕하는 것이 안락한 행인 줄을 알지 못하며, 평등한 것이 보리인 줄을 알지 못하며, 망상을 여의는 것이 세간에서 벗어나는 줄을 알지 못하고, 스승과 제자가 한 방에 있으면서도 맺힌 업이 다하지 않아 서로 어긋나 다투는 마음이 복잡하게 일어나므로 세세생생에 화합하지 못하느니라.

또 출가한 사람이 혹 학업을 같이 닦고, 혹은 스승을 함께 섬겼던 이의 지위가 올라가면 문득 진심을 품어 예전부터 그가 지혜를 익혀온 것은 말하지 않고, 그에게는 복덕이 있고 나에게는 선근이 없다고 하면서 망상심으로 높다 낮다는 생각을 내고, 싸움을 일삼아 화합하지 못하고, 다른 이는 후하게 대하고 저는 박하게 대할 줄을 모르고, 서로서로 협의하여 자기의 허물은 알지 못하고 다른 이의 잘못만 말하며, 혹은 3독심으로 서로 비방하여 충성할 마음도 없고 공경하는 뜻도 없나니, 어떻게 자신이 부처님 계율을 위반한 것을 생각하리오. 내지 큰 소리와 거친 말로 서로 꾸짖으며, 스승의 교훈을 조금도 믿지 않고 상·중·하좌가 각각 원한을 품으며, 원한을 품은 탓으로 서로 시비를 자아내나니, 이 같이 악도 중에는 원한의 대상이 많으니 시비와 원결은 모두 우리들의 스승과 제자와 함께 공부하는 도반에게 있다 하리니, 상·중·하좌에게 원한의 마음을 내면 대상이 한량없느니라.

그러므로 경에 말하기를, '이 세상에는 조금만 미워하여도 내생은 점점 심하여 큰 원수가 된다.' 하였거늘, 하물며 종신토록 일으킨 악업이리오.

오늘, 이 도량의 동업대중이여, 우리가 어느 때 어느 세상에서 스승이나 상·중·하좌에 대하여 원결을 맺었는지 모르나니, 이러한 원결은 무궁무진하며 형상이 없는 대상인지라, 기한도 없고 겁수劫數도 없으며, 고통을 받을 때는 참고 견딜 수 없느니라. 그러므로 보살마하살은 원수다 친하다는 마음을 버리며, 그러한 생각을 떠나 자비한 마음으로 평등하게 섭수하느니라. 우리가 오늘 보리심을 발하고 보리원을 세웠으니, 마땅히 보살행을 행하며, 4무량심과 6바라밀과 4홍서원과 4섭법을 부처님과 보살의 본행과 같이하여, 우리는 원친이 평등하고 일체 무애함을 익히며, 오늘부터 보리에 이르도록 서원코 일체중생을 구호하여 구경의 일승에 이르러야 하느니라.

지극한 마음으로 5체투지하고 영식이 있은 이래로 여러 생에 출가한 스님 중에 원결이 있는 이와, 같은 단상의 증명법사 중에 원결이 있는 이와, 함께 공부하는 상·중·하좌에 원결이 있는 이와, 인연이 있거나 인연이 없거나 간에 시방세계의 4생 6도의 3세 원결과, 대상이 되거나 대상이 아니거나, 경하거나 중하거나, 그러한 권속들과, 또 우리가 6도의 일체중생 중에 원결이 있어 지금 그 대상이 되어 있거나, 미래에 원결의 대상이 될 이를 위하여 오늘 참회하여 소멸되기를 바라오며, 또 6도의 일체중생에게 원결이 있는 이들도 우리가 오늘 자비한 마음과 원친怨親이 없는 생각으로 3세의 원결들을 위하여 참회 하옵나니, 원컨대 모두 풀어버리고, 다시는 나쁜 마음으로 상대하지도 말고, 독한 생각으로 마주 서지 말게 하여 지이다. 원컨대 6도의 일체중생들이 모두 원결을 풀어버리고 한결같이 환희하며, 지금부터 원한을 풀어 다시는 원한이 없고 각각 공경하여 은혜 갚을 것을 생각하게 하여 지이다.

부처님의 마음과 같이, 부처님의 서원과 같이 각각 지극한 정성으로 세간의 대자대비하신 부처님께 귀의하나이다.

지심귀명례 미륵불 彌勒佛

지심귀명례 석가모니불 釋迦牟尼佛

지심귀명례 견유변불 見有邊佛

지심귀명례 전명불 電明佛

지심귀명례 금산불 金山佛

지심귀명례 사자덕불 師子德佛

지심귀명례 승상불 勝相佛

지심귀명례 명찬불 明讚佛

지심귀명례 견정진불 堅精進佛

지심귀명례 구족찬불 具足讚佛

지심귀명례 이외사불 離畏師佛

지심귀명례 응천불 應天佛

지심귀명례 대등불 大燈佛

지심귀명례 세명불 世明佛

지심귀명례 묘음불 妙音佛

지심귀명례 지상공덕불 持上功德佛

지심귀명례 이암불 離闇佛

지심귀명례 보찬불 寶讚佛

지심귀명례 사자협불 師子頰佛

지심귀명례 멸과불 滅過佛

지심귀명례 지감로불 持甘露佛

지심귀명례 인월불 人月佛

지심귀명례 희견불 喜見佛

지심귀명례 장엄불 莊嚴佛

지심귀명례 주명불 珠明佛

지심귀명례 산정불 山頂佛

지심귀명례 명상불 名相佛

지심귀명례 법적불 法積佛

지심귀명례 혜상보살 慧上菩薩

지심귀명례 상불리세보살 常不離世菩薩

지심귀명례 무변신보살 無邊身菩薩

지심귀명례 관세음보살 觀世音菩薩

또, 시방의 다함없는 모든 3보께 귀의하오니, 바라건대 부처님과 법과 지위가 높은 보살과 일체 성현의 힘으로 원한의 대상이 되거나 되지 않거나 간에 3세의 다함없는 모든 중생들로 하여금 함께 참회하여 원결을 풀고, 모든 것을 버려서 원수라든가 친하다는 생각이 없게 하며, 일체가 화합하여 물에 젖을 탄 것 같고, 일체가 환희하여 초지初地와 같으며, 일체가 무애하여 허공과 같게 하고, 오늘부터 보리에 이르도록 영원히 법문의 친척이 되어 다르다는 생각이 없어 항상 보살의 자비 권속이 되어 지이다.

또, 오늘 예배하고 참회하고 원결을 풀어버린 인연으로 원컨대 화상과 아사리와 단상에서 증명하는 이와, 함께 공부하는 제자와 상·중·하좌와, 일체 권속의 원결이 있는 이들과, 내지 4생 6도의 3세 원결을 해탈하지 못한 이와, 금일 천상에 있거나, 신선에 있거나, 아수라에 있거나, 지옥에 있거나, 아귀에 있거나, 축생에 있거나, 인간에 있는 이들과, 현재 권속 중에 있는 이와, 시방 3세의 모든 원수로서 대상이 되거나 되지 않거나, 모든 권속들이 이제부터 보리에 이르도록 모든 죄업이 다 소멸하고 모든 원결을 필경에 해탈하고 번뇌와 습기가 아주 청정해져서 4취趣를 길이 하직하고 자재하에 태어나서, 생각마다 법류法流요 마음마다 자재하여 6바라밀을 구족하게 장엄하고, 10지의 행원을 모두 구경究竟하며, 아뇩다라삼먁삼보리를 구족하여 등정각을 이루어지이다.

오늘, 이 도량의 동업대중이여, 이 앞에서는 통틀어서 3세의 원결을 풀었거니와, 이제부터는 자신을 깨끗이 하여 마음을 가다듬을지니, 우리가 오늘 어찌하여 해탈하지 못하며, 나아가서는 부처님을 대면하여 수기授記를 받지 못하고, 물러와서는 부처님의 설명을 듣지 못하는가. 진실로 죄업이 심중하고 원결이 견고한 탓이니, 다만 예전에 계셨던 부처님과 앞으로 오실 부처님과 보살 현성을 뵈옵지 못할 뿐 아니라, 12분교의 법문 들을 길이 영원히 막힐까 두려우며, 악도에서 원한의 대상을 면할 길이 없고, 이 몸을 버리고는 지옥에 빠져 3악도에 윤회하며 나쁜 갈래를 두루 돌아다닐 것이니, 언제나 사람의 몸을 다시 얻겠는가. 이런 생각을 하면 실로 눈물겹도록 슬프고 이런 뜻을 두면 가슴 아프도록 괴롭도다.

우리가 이미 불법을 앙모하여 부모를 하직하고 속세의 영화를 버렸으니 다시 돌아볼 것이 없거늘, 어찌 시간을 다투어 안심 입명할 곳을 구하지 않겠는가.

만일 뜻이 견고하여 노고를 무릅쓰고 가슴 아프게 분발

하지 않다가 홀연히 죽을병에 걸려 중음中陰이 나타나게 되면 옥졸 나찰과 우두아방의 험상한 모양이 한꺼번에 이르고, 바람칼이 몸을 쪼개면 심회가 산란하며, 권속들이 호곡하여도 깨닫지 못하리라. 이런 때를 당하여 금일의 예참을 구하며 선심을 일으키려한들 어떻게 다시 얻을 수 있겠는가. 오직 3악도의 무량한 고초가 있을 뿐이니라. 오늘 우리 대중은 각각 노력하여 시간을 다툴지어다. 만일 망정에 맡기면 나아갈 길이 더디고, 수고를 참고 견디면 용맹과 마음이 빠르니라.

그러므로 경에 말씀하기를, '자비가 곧 도량이니 괴로움을 참는 연고며, 발심하고 행함이 곧 도량이니 일을 판단하는 연고라.' 하였으니, 여러 가지 착한 일로 장엄하는 것도 부지런하지 않으면 이룰 수 없고, 큰 바다를 건너려면 배가 아니고야 어찌 하리오.

만일 원하는 마음만 있고, 원하는 일을 행하지 아니하면 마음과 일이 함께 하지 아니하여 결과를 보지 못하리니, 마치 양식이 떨어진 사람이 여러 가지 음식에 마음을 두어도 굶주림에는 이익이 없음과 같다. 훌륭한 과보를 구하려면 마음과 함께 행해야 하나니, 서로 제때에 미쳐서 더 잘하려는 마음을 내고 부끄러운 생각을 가져 참회하여 죄를 멸하고 원결을 풀어버려라.

만일 다시 어두운 데 있으면 열릴 기약이 없나니, 사람들이 해탈하는 것을 후회하지 말라. 각각 지성으로 다 같이 간절하게 5체투지하고 세간의 대자대비하신 부처님께 귀의하나이다.

지심귀명례 미륵불 彌勒佛

지심귀명례 석가모니불 釋迦牟尼佛

지심귀명례 정의불 定義佛

지심귀명례 시원불 施願佛

지심귀명례 보중불 寶衆佛

지심귀명례 중왕불 衆王佛

지심귀명례 유보불 遊步佛

지심귀명례 안은불 安隱佛

지심귀명례 법차별불 法差別佛

지심귀명례 상존불 上尊佛

지심귀명례 극고덕불 極高德佛

지심귀명례 상사자음불 上師子音佛

지심귀명례 요희불 樂戲佛

지심귀명례 용명불 龍明佛

지심귀명례 화산불 華山佛

지심귀명례 용희불 龍喜佛

지심귀명례 향자재왕불 香自在王佛

지심귀명례 대명불 大明佛

지심귀명례 천력불 天力佛

지심귀명례 덕만불 德鬘佛

지심귀명례 용수불 龍首佛

지심귀명례 선행의불 善行意佛

지심귀명례 인장엄불 因莊嚴佛

지심귀명례 지승불 智勝佛

지심귀명례 무량월불 無量月佛

지심귀명례 실어불 實語佛

지심귀명례 일명불 日明佛

지심귀명례 약왕보살 藥王菩薩

지심귀명례 약상보살 藥上菩薩

지심귀명례 무변신보살 無邊身菩薩

지심귀명례 관세음보살 觀世音菩薩

또, 시방의 다함없는 모든 3보께 귀의하옵니다. 저희들의 죄업을 쌓은 것이 땅보다 깊고, 무명이 가려서 긴긴 밤이 밝아지지 못하며, 항상 3독을 따라서 원수를 지었으므로 3계에서 빠져 나올 기약이 없나이다. 오늘 모든 부처님과 보살의 자비하신 힘으로 깨우침을 받잡고, 부끄러운 마음을 내어 지성으로 앙모하고 발로 참회하오니, 바라옵건대 모든 부처님과 보살이시여, 자비로 섭수하사 큰 지혜의 힘과 부사의한 힘과 한량없이 자재한 힘과 4마를 항복받는 힘과 번뇌를 멸하는 힘과 원결을 푸는 힘과 중생을 제도하는 힘과 중생을 편안하게 하는 힘과 지옥을 해탈하는 힘과 아귀를 제도하는 힘과 축생을 구제하는 힘과 아수라를 교화하는 힘과 인간을 섭수하는 힘과 하늘과 신선의 번뇌를 소멸하는 힘과 무량무변한 공덕의 힘과 무량무진한 지혜의 힘으로써 4생 6도의 모든 원결들이 이 도량에 모여서 저희들의 오늘 참회함을 받고, 일체를 모두 버리어 원수라든가 친하다하는 생각을 없애고, 맺힌 원결을 함께 해탈하고, 8난을 여의어 4취의 괴로움이 없으며, 항상 부처님을 만나서 법문 듣고 도를 깨달으며, 보리심을 발하여 출세할 업을 행하고, 자비희사와 6바라밀을 지성으로 닦아 익히며, 일체의 행원이 10지에 이르고 금강심에 들어가 정각을 함께 이루게 하여 지이다.

오늘, 이 도량의 동업대중이여, 원한의 대상이 서로 만나는 것은 3업이 행인行人을 장엄하여, 괴로운 업보를 받게 하는 탓이니, 우리가 이미 고통의 근본을 알았으니 마땅히 용맹하게 꺾어버릴지니, 고통을 멸하는 것은 참회가 제일이니라. 그러므로 경에서 두 사람을 칭찬하였으니, '하나는 죄를 짓지 아니함이요, 둘은 능히 참회함이라.' 하였느니라. 대중이 지금 참회하려거든 마음을 깨끗이 하고 얼굴을 단정히 하며, 속으로 참괴한 생각을 가지고 밖으로 슬픈 마음을 일으키면 멸하지 못할 죄가 없느니라. 무엇이 두 가지 마음인가. 하나는 참慚이요 둘은 괴愧니라. 참은 하늘에 부끄러움이요, 괴는 사람에게 부끄러움이며, 참은 스스로 참회하여 원결을 멸함이요, 괴는 다른 이로 하여금 결박을 풂이며, 참은 여러 가지 선을 짓고, 괴는 보고 기뻐함이며, 참은 안으로 수치하는 것이요, 괴는 사람을 향하여 드러내는 것이니라. 이 두 가지 법은 수행하는 사람으로 하여금 장애함이 없는 낙을 얻게 하느니라.

우리들은 금일에 큰 참괴를 일으키고 큰 참회를 행하여 지극한 마음으로 4생 6도를 어여삐 여기자. 무슨 연고인가.

경에 말하기를, '일체중생이 모두 친척 될 연이 있나니, 혹 부모가 되었고, 혹 스승이 되었으며, 내지 형제자매가 되었을 것이건만, 무명의 그물에 서로 얽혀 서로 알지 못하며, 알지 못하므로 흔히 해롭게 하였고, 해롭게 하였으므로 원결이 그지없다.' 하였느니라. 대중은 오늘 이런 이치를 깨닫고 지극한 정성으로 마음을 가다듬어 1념에 시방 부처님을 감동케 하고, 한 번 절하여 무량한 원결을 끊어버리라.

다 같이 간절하게 5체투지하고, 또 다시 세간의 대자대비하신 부처님께 귀의하나이다.

지심귀명례 미륵불 彌勒佛

지심귀명례 석가모니불 釋迦牟尼佛

지심귀명례 정의불 定意佛

지심귀명례 무량형불 無量形佛

지심귀명례 명조불 明照佛

지심귀명례 보상불 寶相佛

지심귀명례 단의불 斷疑佛

지심귀명례 선명불 善明佛

지심귀명례 불허보불 不虛步佛

지심귀명례 각오불 覺悟佛

지심귀명례 화상불 華相佛

지심귀명례 산주왕불 山主王佛

지심귀명례 대위덕불 大威德佛

지심귀명례 변견불 徧見佛

지심귀명례 무량명불 無量名佛

지심귀명례 보천불 寶天佛

지심귀명례 주의불 住義佛

지심귀명례 만의불 滿意佛

지심귀명례 상찬불 上讚佛

지심귀명례 무우불 無優佛

지심귀명례 무구불 無垢佛

지심귀명례 범천불 梵天佛

지심귀명례 화명불 華明佛

지심귀명례 신차별불 身差別佛

지심귀명례 법명불 法明佛

지심귀명례 진견불 盡見佛

지심귀명례 덕정불 德淨佛

지심귀명례 문수사리보살 文殊師利菩薩

지심귀명례 보현보살 普賢菩薩

지심귀명례 무변신보살 無邊身菩薩

지심귀명례 관세음보살 觀世音菩薩

또, 시방의 다함없는 모든 3보께 귀의 하옵나니, 바라옵건대 3보께서 가피하시고 섭수하사 저희 제자들의 참회하는 죄업이 소멸하고 뉘우치는 허물이 청정케 하소서. 또 오늘 함께 참회하는 이들이 오늘로부터 보리에 이르도록 일체의 원결이 해탈되고, 일체의 고통이 소멸되어 습기와 번뇌가 청정하여지며, 4취를 길이 하직하고 자재하게 태어나며, 부처님을 친히 모시고 수기를 받으며, 자비희사와 6도 만행을 모두 구비하고, 네 가지 변재를 갖추며, 부처님의 10력을 얻어 훌륭한 상호로 몸을 장엄하고 신통이 무애하며 금강심에 들어가 등정각을 이루게 하여지이다.

찬 讚

4생으로 왕래하며

6도로 윤회함이

모두 원결이 서로 전해진 탓이니

부처님의 어여삐 여기심을 입사와

원한의 대상 앞에 모두 풀리고

험한 구렁을 만나도 태연하여지이다.

나무 난승지보살마하살 難勝地菩薩摩訶薩(3번)

출참 出懺

묘한 상호 높고 뛰어나시니 중천에 떠있는 태양이요,

자비한 바람 서늘하시니 대지에 진동하는 우레로다.

티끌 마음에 감로 뿌리고

항하사恒河沙 세계에 제호醍醐 부으니

구하는 일마다 다 응하시고 소원은 모두 성취케 하시며

여래께서 5안眼의 광명 비추시니

5시時의 불사 원만히 이루었네.

이제까지 참회하온 저희들

자비도량참법을 수행하여 제5권이 끝나니,

예경하고 외우는 일 두루 하여

공훈功勳이 바야흐로 마치려 하오며

다섯 가지 공덕 갖춘 이 모여

5천天의 묘한 얼굴 뵈오며

5분의 향을 사르고 5방의 횃불 켜오며

1음音을 찬탄하오니 5색 꽃이 날리나이다.

작은 정성으로 공양 올리고

간절한 마음으로 예경하오며

관觀하고 경 외우는 여러 가지 공덕으로

먼저 부처님 보리에 회향하고

다음으로 법계에 널리 미치니,

이러한 힘으로 참회하는 저희들

미처 뉘우치지 못한 죄 참회하고

아직 모으지 못한 인행因行을 모으오니

바라건대 5온이 공空하여지고

다섯 가지 쇠퇴함이 나타나지 말며

5근根과 5력力을 구족하고

5개蓋와 5장障이 소멸하여

다섯 가지 마음 발명發明하고

다섯 가지 계행을 지니오리니,

현재의 권속들은 5복을 누리고

과거의 친척은 5명明을 이루게 하소서.

악도에 헤매는 이들 괴로움 쉬어 보리를 얻고

원한의 대상들도

원결을 풀고 좋은 곳에 태어나지이다.

간략한 참문으로 허물 뉘우치나

자라난 과보를 소멸키 어려워

여러 스님들께 간청하여

거듭 거듭 참회를 구하나이다.

찬 讚

양황참 5권의 공덕으로

저희들과 망령亡靈의 5역죄 소멸되고,

보살의 난승지(難勝地: 10지의 5위. 끊기 어려운 무명을 이기는 지위)를 증득하여

참문 외우는 곳에 죄의 꽃이 스러지며,
원결을 풀고 복이 더하여 도리천에 왕생하였다가
용화 회상에서 다시 만나
미륵 부처님의 수기를 받아지이다.
나무 용화회보살마하살 龍華會菩薩摩訶薩(3번)

거찬 擧讚

양황참 제5권을 모두 마치고 4은恩 3유有에 회향하오니
참회를 구하는 저희들은 수복이 증장하며
망령들은 정토에 왕생하여지이다.
난승지보살 어여삐 여기사 거두어 주소서.
나무 등운로보살마하살 登雲路菩薩摩訶薩(3번)

자비도량참법

慈悲道場懺法

제6권

10. 해원석결 解冤釋結 ②

자비도량참법

慈悲道場懺法

제6권

찬 讚

봄, 꽃봉오리 앞서고
여러 가지 플 싱싱하여라.
작설차 달이니 향기가 자욱
수정잔에는 설화雪花 날리네.
조주 스님의 화두 다시 새로워
졸음의 마왕魔王 몇 번이나 퇴진退陣하였나.
나무 보공양보살마하살 普供養菩薩摩訶薩(3번)

듣사오니,
석가여래 6년의 고행으로 부처님 되시고

6욕천의 천마天魔 파하니 광명이 번쩍했네.

보살은 6바라밀 닦아 권속을 장엄하고

성문은 6신통 얻어 앞뒤를 둘러쌌네.

수기 주시니 천지가 진동하고

법문 설하시니 꽃비 내리고

묘한 공덕 부사의하고

은덕의 광명 널리 덮이니

바라건대 가엾이 여기는 마음으로

저희 정성 살피옵소서.

지금 참회하는 저희들

자비도량참법을 수행하오며

이제 제6권의 연기를 당하여

향기는 6수銖의 가사에 풍기고

등을 6욕천에 켜오니

6화花가 하늘과 땅에 날리고

여섯 가지 맛으로 불·보살께 공양하오며

머리 조아려 정성 드리고

은근하게 죄를 뉘우치옵니다.

참회를 구하는 저희들
전생의 인행因行으로부터
금생에 이르도록
6근根을 따라 방일함은
6식識으로 반연하는 탓이니
환술 같은 6진塵을 탐하여
6취趣의 윤회를 지었으며
6념念의 바른 인행 닦지 않고
6바라밀의 범행 원만치 못하니
태어날 적마다 고통의 과보 무궁하고
세세생생에 허망한 인연 끊이지 않아
이제 허물을 뉘우치고 정성 다하여
6화합和合의 대중들과 함께
6바라밀 참문을 수행하며
6시時의 간절한 참회로
6취의 죄업을 풀려하와
부처님 앙모하오니
가피를 드리워지이다.

대자대비로 중생을 어여삐 여기시고
대희대사로 유정을 제도하시며
빛 밝은 상호로 장엄하였사옵기
저희들 지성으로 귀의하나이다.

입참 入懺

자비도량참법을 수행하오며
3세 부처님께 귀의하나이다.

지심귀명례 과거 비바시불 過去毘婆尸佛
지심귀명례 시기불 尸棄佛
지심귀명례 비사부불 毘舍浮佛
지심귀명례 구류손불 拘留孫佛
지심귀명례 구나함모니불 拘那含牟尼佛
지심귀명례 가섭불 迦葉佛
지심귀명례 본사 석가모니불 本師釋迦牟尼佛
지심귀명례 당래 미륵존불 當來彌勒尊佛

9. 해원석결 解冤釋結 ②

  오늘, 이 도량의 업을 같이 하는 대중이여, 먼저 4생 6취를 향하여 몸으로 지은 악업을 참회합시다.

  경에 말하기를, '이 몸이 있으면 괴로움이 생기고, 몸이 없으면 괴로움이 멸한다.' 하였으니, 이 몸은 모든 괴로움의 근본임에, 3악도의 과보가 다 몸으로 얻는 것이라, 다른 이 지은 것을 내가 받지도 아니하고, 내가 지은 것을 다른 이가 받지도 아니하며, 스스로 원인을 지어 스스로 과보를 받느니라. 한 가지 업만 지어도 그지없는 죄보를 받는 것이거늘, 하물며 종신토록 지은 죄악일까보냐. 이제 내 몸 있는 줄만 알고 다른 이의 몸이 있는 줄을 알지 못하며, 나의 고통만 알고 다른 이의 고통을 알지 못하며, 내가 안락을 구하는 것만 알고 다른 이도 안락을 구하는 줄은 알지 못하느니라.

  어리석은 연고로 나다 남이다 하는 분별을 일으키고, 원수다 친하다 하는 생각을 내는 탓으로 원한의 대상이

6취에 두루 하니 만일 원결을 풀지 아니하면 6취 중에서 어느 때에 면하리요. 이 겁으로부터 저 겁에 이르리니, 어찌 원통하지 않겠는가. 우리들은 오늘 용맹한 마음을 일으키고, 부끄러운 생각을 내어 통쾌하게 참회하고 반드시 1념에 시방 부처님을 감동케 하고, 한 번 절함으로써 무량한 원결을 끊을지니라. 다 같이 간절하게 5체투지하고 세간의 대자대비하신 부처님께 귀의할지니라.

지심귀명례 미륵불 彌勒佛

지심귀명례 석가모니불 釋迦牟尼佛

지심귀명례 월면불 月面佛

지심귀명례 보등불 寶燈佛

지심귀명례 보상불 寶相佛

지심귀명례 상명불 上名佛

지심귀명례 작명불 作名佛

지심귀명례 무량음불 無量音佛

지심귀명례 위람불 違籃佛

지심귀명례 사자신불 師子身佛

지심귀명례 명의불 明義佛

지심귀명례 무능승불 無能勝佛

지심귀명례 공덕품불 功德品佛

지심귀명례 월상불 月相佛

지심귀명례 득세불 得勢佛

지심귀명례 무변행불 無邊行佛

지심귀명례 개화불 開華佛

지심귀명례 정구불 淨垢佛

지심귀명례 견일체의불 見一切義佛

지심귀명례 용력불 勇力佛

지심귀명례 부족불 富足佛

지심귀명례 복덕불 福德佛

지심귀명례 수시불 隨時佛

지심귀명례 광의불 廣意佛

지심귀명례 공덕경불 功德敬佛

지심귀명례 선적멸불 善寂滅佛

지심귀명례 재천불 財天佛

지심귀명례 경음불 慶音佛

지심귀명례 대세지보살 大勢至菩薩

지심귀명례 상정진보살 常精進菩薩

지심귀명례 무변신보살 無邊身菩薩

지심귀명례 관세음보살 觀世音菩薩

또, 시방의 다함없는 모든 3보께 귀의 하옵나니, 바라옵건대 부처님과 법보와 보살과 일체 성현의 힘으로 4생 6도의 모든 원수들이 모두 도량에 모여 각각 참회하고, 입과 마음으로 이같이 말하나니, 이루어 주소서.

저희들이 비롯함이 없는 무명주지 無明住地로부터 오늘에 이르도록 몸의 악업으로 천상과 인간에 원결을 맺었으며, 아수라와 지옥에 원결을 맺었으며, 아귀와 축생에게 원결을 맺었사오니, 바라옵건대 부처님과 법보와 보살과 모든 성현의 힘으로 4생 6도의 3세 원결의 대상이거나 대상이 아니거나, 경하거나 중하거나 간에 이번 참회하는 공덕으로 참회해야 할 것이 소멸되고 뉘우칠 것이 청정해져서, 3계의 괴로움을 다시 받지 아니하며, 태어난 곳마다 항상 부처님을 만나게 하여 지이다.

또, 오늘 함께 참회하는 이들도 비롯함이 없는 생사이래로 금일에 이르도록, 몸의 악업으로 나쁜 갈래에서 혹은 진심과 혹은 탐심과 혹은 어리석음으로 인하여 원결을 구비하게 일으키고 10악업을 짓되, 농사를 위하고 가택을 위하고 재물을 위하여 금수와 소와 양을 죽이기도 하였을 것이며, 또, 무시이래로 금일까지 혹 이양을 위하여 중생을 살상하며, 혹 의사가 되어 백성들에게 침을 놓고 뜸뜨는 등의 죄업으로 원결이 무량하였을 것이오니, 오늘 참회하여 모두 멸제하여 지이다.

또, 무시이래로 금일에 이르도록, 혹 중생을 굶주리게 하고, 혹 남의 양식을 빼앗으며, 혹 중생을 핍박하여 고생케 하며, 혹 남의 음식을 끊는 따위의 여러 가지 악업으로 지은 원결을 오늘 참회하나니 모두 멸제하여 지이다.

또 무시이래로 금일까지 중생을 살해하여 고기를 먹기

도 하고, 혹 3독심으로 중생을 때리기도 하고, 혹 독한 음식을 중생에게 먹여 죽이기도 하였으니, 이러한 원결이 무량무변한 것을 오늘 참회하나니, 모두 멸제하여 지이다.

또, 무시이래로 금일까지 밝은 스승을 여의고 나쁜 벗을 가까이하여 몸의 세 가지 업으로 갖가지 죄를 짓되, 마음대로 살해하여 무고한 이를 요사夭死게 하며, 혹 못물을 푸고 도랑을 막아 물에 사는 고기와 작은 벌레들을 살해하며, 혹 산에 불을 놓거나 올무와 그물을 설치하여 짐승을 살해하였으니, 이러한 원결이 무량무변한 것을 오늘 참회하나니 모두 제멸하여 지이다.

또 무시이래로 금일에 이르도록 자비심이 없고 평등한 행을 어기면서 말(두斗)을 속이고 저울을 농간하여 하열한 이를 침노하고, 혹 성읍을 파괴하고 재물을 겁탈하기도 하며, 혹 남의 재산을 훔쳐 스스로 사용하며, 진실한 마음이 없이 서로서로 살해하였으니, 이러한 원결이 무량무변한 것을 오늘 참회하나니 모두 제멸하여 지이다.

또, 무시이래로 금일에 이르도록 자비한 마음과 행동이 없어 6도 중에서 모든 중생에게 해독을 주었으며, 혹 권속들에게 무리하게 매질도 하고 속박하고 가두었으며, 혹 고문하고 벌을 주었으며, 찌르고 상해하고 찍고 때리며, 껍데기를 벗기고 굽고 볶는 등, 이러한 원결이 무량무변한 것을 오늘 참회하나니 모두 제멸하여 지이다.

또, 무시이래로 금일에 이르도록 몸으로 짓는 세 가지 악업과 입으로 짓는 네 가지 악업과 뜻으로 짓는 다섯 가지 역적죄와, 온갖 죄업을 짓지 않은 것이 없으며, 자기의 팔자를 믿고 귀신도 두려워하지 아니하며, 오직 내가 남만 못할 것을 두려워하고, 남이 나보다 못할 것은 생각지 아니하며, 혹 명문거족이라고 뽐내면서 남을 업신여긴 원결과, 혹 지식이 많다고 남을 업신여긴 원결과, 혹 글을 잘한다고 남은 업신여긴 원결과, 혹 부귀하다고 남을 업신여긴 원결과, 혹 말을 잘하노라고 남을 업신여긴 원결을, 3보의 복전福田에 짓기도 하고, 화상이나 아사리에게 짓기도 하고, 함께 공부하는 상·중·하좌에게 짓기도 하고, 혹 함께 공부하는 도반에게 짓기도 하고, 혹 부모 친척에게 짓기도 한, 이러한 원결이 무량무변한 것을 오늘 참회하오니 제멸하여 지이다.

또, 무시이래로 금일에 이르도록 천상이나 인간에 대하여 원결을 지었으며, 혹 아수라와 지옥 중생에게 대하여 원결을 지었으며, 혹 축생과 아귀에게 대하여 원결을 지었으며, 내지 시방의 일체중생에게 원결을 지어 이런 죄악이 무량무변한 것을 오늘 참회하오니 모두 제멸하여 지이다.

저희들이 또 무시이래로 금일에 이르도록 혹은 질투하고, 혹은 왜곡하게 윗자리에 오르기를 구하기도 하고, 혹은 명예와 이익을 위하여 삿된 소견을 따라다니면서 부끄러움이 없었으니, 이런 원결의 경하고 중한 것과 죄업으로 고통 받을 것과 수량의 많고 적음을 부처님과 대보살께서 모두 아시리이다. 여러 불·보살께서는 자비로서 저희들을 생각하소서. 저희들이 무시이래로 지은 죄업에서 스스로 지었거나, 남을 시켜 지었거나, 짓는 것을 보고 기뻐하였거나, 3보의 물건을 스스로 취하였거나, 남을 시켜 취하였거나, 취함을 보고 기뻐하였거나, 덮어 감추었거나 감추지 않았거나 간에 불·보살께서 알고 보시는 바와 같은 죄업으로 지옥·아귀·축생에 나고, 다른 나쁜 갈래와 변방과 하천한 곳에 태어나서 받을 죄보를 이제 참회하여 제멸하기를 바라옵나이다. 부처님의 위신력은 부사의하옵나이다. 자비하신 마음으로 일체를 구호하시어 저희들이 금일 4생 6도와 부모 사장과 일체 권속을 향하여 지나간 죄업을 참회하여 원결을 풀고자 한 뜻을 받으시고, 6도의 원수들이 각각 환희하여 모든 것을 풀어버리고, 원수다 친하다는 생각이 없어 모든 것에 무애하기를 허공과 같이 하고, 오늘부터 보리에 이르도록 모든 번뇌를 필경 끊어버리고, 3업이 청정하며 원결이 아주 없어져 천궁보전天宮寶殿에 뜻대로 왕생하며, 자비희사와 6바라밀을 항상 수행하여, 많은 복으로 몸을 장엄하

고, 여러 가지 선한 행을 구족하며, 수능엄삼매에 머물러
금강 같은 몸을 얻고, 잠깐 동안에 6도로 다니면서 서로서
로 제도하여 한 사람도 남지 않게 하고, 함께 도량에 앉아
서 등정각을 이루게 하여 지이다.

오늘, 이 도량의 동업대중이여, 우리들이 몸으로 지은
죄를 참회하여 신업은 청정하여졌으나, 남은 구업口業은
모든 원결과 화단의 문이므로 부처님이 경계하시기를,
'양설과 악구와 망어와 기어를 하지 말라.' 하였으니,
왜곡하고 꾸민 말로 시비를 얽는 것은 환란이 적지 않고
과보도 중대함을 마땅히 알지니라.

사람이 세상에 처하여 마음에 독한 생각을 품고, 입으
로 독한 말을 하고, 몸으로 독한 행을 행하면서, 이러한
세 가지 일로 중생을 해롭게 하면 중생은 독해를 입고,
곧 원한을 맺고 보복하려 할 것이니, 혹은 현세에 원을
이루기도 하고, 혹은 죽은 뒤에 원을 이루기도 한다. 이러
한 원결로 인하여 여섯 갈래로 다니면서 서로 보복하여

끝날 때가 없나니, 모두가 전세의 원결로 되는 것이요, 그냥 생기는 것이 아니다. 몸이 짓는 세 가지 업과, 입으로 짓는 네 가지 업이 진실로 모든 악의 근원인 줄을 알아야 하느니라.

세속에 사는 사람이 충효를 하지 않으면, 죽어 태산지옥泰山地獄에 들어가서 끓는 물과 타는 불의 참혹한 고통을 받고, 출가한 사람이 불법을 좋아하지 않으면 태어나는 곳마다 나쁜 일과 얽히게 되나니, 이런 원수는 다 3업 때문이요, 3업 중에도 구업이 가장 무거우며, 과보를 받을 적에는 여러 가지 혹독함을 당하거니와, 동이 트지 않는 밤이라 알지 못할 뿐이니라.

오늘, 이 도량의 동업대중이여, 우리들이 6취에 윤회함은 모두 구업 때문이니, 경솔한 말을 함부로 하거나 말을 잘한다 해서 허망하게 꾸며대면 말과 행동이 서로 다르고, 나쁜 과보가 스스로 오게 되어 여러 겁을 지나도 면하기 어려우니, 어찌 사람마다 송구하여 그런 허물을 참회하지 아니하랴. 우리 서로 무시이래로 금일에 이르도록 구업이 좋지 못하여, 4생 6도와 부모와 사장과 모든 권속에게 온갖 나쁜 짓을 하면서, 말이 추악하고 포학하며, 여럿이 모여서는 이치에 어기는 말을 하되, 공한 것을 있다 하고, 있는 것을 공하다 하며, 본 것을 보지 않았다 하고, 보지 못한 것을 보았다 하며, 들은 것을 듣지 못했다 하고, 듣지 못한 것을 들었다 하며, 지은 것을 짓지 않았다 하고, 짓지 아니한 것을 지었다 하여, 이렇게 뒤바뀌게 말하며 천지를 번복하고 자기에게 이익하고 다른 이를 해롭게 하여 서로 훼방하였느니라.

자기에게는 여러 가지 공덕을 말하고, 다른 이에게는 모든 악한 짓을 씌우며, 내지 성현을 욕하고 임금과 부모를 기만하며, 스승을 시비하고 선지식을 훼방하되, 도의도 없고 체면도 돌아보지 아니하였나니, 세상의 뜻하지 않은 액난으로 목숨을 잃기도 하고, 미래의 고통을 오래오래 받게 되며, 웃고 희롱하는 동안에도 무량한 죄악을 저지르거늘, 하물며 일부러 나쁜 말로 여러 사람을 욕되게 함이리오.

무시이래로 금일까지 나쁜 구업으로 천상이나 인간에
대하여 원결이 있는 이, 아수라와 지옥에 대하여 원결이
있는 이, 아귀와 축생에 대하여 원결이 있는 이, 부모와
사장과 모든 권속에 대하여 원결이 있는 이들을 위하여
저희들이 자비심으로 보살의 행과 같이 하고 보살의 원과
같이 하여 대자대비하신 부처님께 귀의하고 예경하나이
다.

지심귀명례 미륵불 彌勒佛

지심귀명례 석가모니불 釋迦牟尼佛

지심귀명례 정단의불 淨斷疑佛

지심귀명례 무량지불 無量持佛

지심귀명례 묘락불 妙樂佛

지심귀명례 불부불 不負佛

지심귀명례 무주불 無住佛

지심귀명례 득차가불 得叉迦佛

지심귀명례 중수불 衆首佛

지심귀명례 세광불 世光佛

지심귀명례 다덕불 多德佛

지심귀명례 불사불 弗沙佛

지심귀명례 무변위덕불 無邊威德佛

지심귀명례 의의불 義意佛

지심귀명례 약왕불 藥王佛

지심귀명례 단악불 斷惡佛

지심귀명례 무열불 無熱佛

지심귀명례 선조불 善調佛

지심귀명례 명덕불 名德佛

지심귀명례 화덕불 華德佛

지심귀명례 용덕불 勇德佛

지심귀명례 금강군불 金剛軍佛

지심귀명례 대덕불 大德佛

지심귀명례 적멸의불 寂滅意佛

지심귀명례 향상불 香象佛

지심귀명례 나라연불 那羅延佛

지심귀명례 선주불 善住佛

지심귀명례 불휴식보살 不休息菩薩

지심귀명례 묘음보살 妙音菩薩

지심귀명례 무변신보살 無邊身菩薩

지심귀명례 관세음보살 觀世音菩薩

또, 시방의 다함없는 모든 3보께 귀의 하옵나니, 바라옵건대 부처님과 법보와 보살과 성현의 힘으로 4생 6도의 일체중생이 모두 깨닫고 도량에 오게 하되, 만일 몸이 장애되어 마음은 있으나 오지 못하는 이가 있거든 부처님과 법보와 보살과 성현의 힘으로 그의 정신을 섭수하여 모두 함께 와서, 저희들의 구업으로 지은 죄의 참회를 받게 하소서. 무명주지(無明住持: 무명의 근원)가 있은 후부터 금일에 이르도록 나쁜 구업의 인연으로 6도 중에서 두루 원결을 일으켰사오니, 3보의 위신력으로 참회하는 4생 6도의 3세 원결로 하여금 영원히 소멸하게 하옵소서.

저희들이 무시이래로 금일에 이르도록 혹은 성내고,

혹은 탐하고, 혹은 어리석은 3독으로 열 가지 악행을 지을 적에, 입으로 짓는 네 가지 업으로 무량한 죄를 일으키되, 악구로 부모와 사장과 권속과 모든 중생을 시끄럽게 하였으며, 혹은 부모에게 망어업妄語業을 일으키고, 혹은 사장에게 망어업을 일으키고, 혹은 권속에게 망어업을 일으키며, 혹은 일체중생에게 망어업을 일으켰으며, 또 본 것을 보지 못했다 하고, 보지 못한 것을 보았다 하고, 들은 것을 듣지 못했다 하고, 듣지 못한 것을 들었다 하며, 아는 것을 알지 못한다 하고, 알지 못하는 것을 안다 하며, 혹은 교만하고, 혹은 질투하여 망어업을 일으켰사오니, 이러한 죄가 무량무변한 것을 오늘 참회하여 제멸하기를 원하나이다.

또, 무시이래로 금일에 이르도록 양설업兩舌業을 일으키되, 남에게 나쁜 말을 들은 것을 덮어두지 못하고, 저 사람에게는 이 사람의 말을 하며 이 사람에게 저 사람의 말을 하며, 사람들이 헤어지거나 고통을 받게 하며, 혹은 희롱 삼아 두 사람을 싸우게 하고, 남의 골육을 이간하여 그의 권속을 헤어지게 하며, 군신 간에 참소하여 일체를 요란케 하였으니, 이런 죄악이 무량무변한 것을 오늘 참회하여 제멸하기를 원하나이다.

또, 무시이래로 금일에 이르도록 기어綺語의 죄를 짓되, 의리에 닿지 않는 말과 이익이 없는 말을 하여 부모를 시끄럽게 하고, 사람을 시끄럽게 하고, 동학을 시끄럽게 하며, 내지 6도의 일체중생을 시끄럽게 하였사오니, 이렇게 구업으로 일으킨 원결이 무량무변한 것을 오늘 참회하여 제멸하기를 원하옵나니, 부처님의 힘과 법보의 힘과 보살의 힘과 성현의 힘으로 저희들이 오늘 참회함을 받고, 4생 6도의 3세 원결을 필경에 해탈하고, 일체 죄업을 모두 끊어버리고, 필경 다시는 원결을 일으켜 3악도에 들어가지 않게 하며, 다시는 6도 중에서 독해를 입히지 않게 하며, 오늘부터 모든 것을 풀어버리고 원수라든가 친한 이라는 생각이 없고, 일체가 화합하기를 물에 젖을 탄 것 같이 하며, 일체가 환희하기를 초지初地와 같이하며, 영원히 법문의 친척과 자비의 권속이 되며, 이제부터 보리에 이르도록 3계의 과보를 영원히 받지 않고, 3장障의 업과 다섯 가지 두려움을 끊으며, 4무량심과 6바라밀을 더욱 깊이 수행하며, 대승의 도를 행하고 부처님의 지혜에 들어가 일체 원해願海를 모두 구족하며, 6통과 3달지(達智: 과거·현재·미래를 아는 지혜로 아라한과를 얻은 성자가 갖는다.)를 모두 분명히 알며, 부처님의 3밀(密: 부처님의 신·구·의 3업)을 얻고, 5분법신을 구족하여 금강의 지혜에 올라서 모든 부처님의 지혜를 이루어지이다.

오늘, 이 도량의 동업대중이여, 이미 몸과 입으로 지은 죄를 참회하였으니, 다음은 마땅히 의업意業을 청정케 할지니라. 일체중생이 생사에 윤회하면서 해탈하지 못하는 것은 의업이 굳게 얽힌 탓이니, 10악업과 5역죄가 모두 의업으로 짓는 까닭이니라. 그러므로 부처님이 경계하시기를, '탐욕과 성내는 일과 어리석음과 삿된 소견을 내지 말지니, 후에 지옥에 들어가서 무궁한 고통을 받는다.' 하시니라. 오늘, 마음이 모든 식識을 움직이는 것을 우리가 보나니, 임금이 신하를 부리는 것과 같아서, 입으로 나쁜 말을 하고 몸으로 나쁜 행동을 함으로 해서 여섯 갈래로 다니면서 혹독한 과보를 받나니, 몸을 망치는 일은 마음으로 업을 짓는 것임을 알지니라. 이제 뉘우치고 행동을 고치려거든, 먼저 마음을 꺾어버리고 다음에 뜻을 억제해야 하나니, 무슨 이유인가. 경에 말씀하시기를, '한 곳만 제어하면 모든 일을 잘 할 수 있다.' 하였느니라. 그러므로 알라. 마음을 깨끗이 함은 해탈할 근본이요, 뜻을 청정히 함은 좋은 데 나아가는 터전이다. 3도의 나쁜 과보가 오는 것도 아니고, 나쁜 갈래의 고통이 가는 것도 아니다. 몸과 입은 업이 거칠어 없애기 쉽거니와, 뜻은 미세하여서 제거하기 어려우니라. 여래와 일체지一切智를 얻은 이는 신·구·의 3업을 두호하지 않아도 되거니와, 우치한 범부야 어떻게 삼가지 아니하랴. 3업을 꺾어버리지 아니하면 잘 할 수 없느니라. 그러므로 경에 일렀으되, '뜻을 방비하기를 성을 지키듯이 하고 입을 조심하기를 병을 지키듯이 하라.' 하였으니, 어찌 잘 보호하지 아니하리오.

우리가 무시이래로 이 몸에 이르도록 무명이 애욕을 일으켜 생사를 증장하고, 또한 열두 가지 괴로운 일과 여덟 가지 삿된 길과 여덟 가지 액난을 구족하고, 3악도와 6취로 윤회하면서 경험하지 않음이 없나니, 이렇게 여러 곳에서 무량한 고통을 받는 것은 모두 의업으로 원결을 맺고 염념에 반연하여 잠깐도 버리지 못하고, 6근을 선동하여 5체를 시켜서 가볍고 무거운 악업을 구비하게 지었으며, 또 몸과 입이 뜻대로 되지 않으면 마음에 분노를 더하여 서로 살해하되 조금도 가엾은 생각이 없으며, 자신은 조그만 괴로움도 참지 못하면서 남에게는 고통이 더 심하기를 바라며, 남의 허물을 보고는 선전하여 퍼뜨리면서도, 자기의 허물은 다른 이가 들을까 염려하나니, 이런 심사는 실로 참괴할 일이니라.

　또, 뜻으로 진심을 내는 것은 대개가 원수이니, 그러므로 경에 말하기를, '공덕을 겁탈하는 도적은 진심이 가장 심하다.' 하고, 화엄경에 말하기를, '불자가 내는 한 번의 진심은 모든 악을 뛰어넘는다. 왜냐하면, 한 번 진심을 내면 백천 가지 장애를 받게 되나니, 이른바 보리를 보지 못하는 장애, 법을 듣지 못하는 장애, 악도에 태어나는 장애, 병이 많은 장애, 비방을 받는 장애, 어두움이 생기는 장애, 바른 생각을 잃는 장애, 지혜가 없는 장애, 악지식을 가까이 하는 장애, 어진 이를 좋아하지 않는 장애, 바른 소견이 멀어지는 장애, 내지는 부처님의 교법을 여의고 마군의 경계에 들어가며, 선지식을 등지고 몸의 여러 기관이 불구가 되며, 나쁜 직업에 종사하는 집에 태어나고, 변방에 살게 된다.' 하였나니, 이러한 장애는 이루 말할 수 없이 많으니라.

무시이래로 금일에 이르도록 우리에게 성내는 마음이 무량무변하게 있었을 것이며, 내지 친족에게도 성내었을 것인데, 여섯 갈래의 모든 중생들에게야 말할 것 없으리라. 번뇌가 혹독하였을 적에는 스스로도 알지 못하였을 것이며, 다만 일이 마음대로 되지 않으면 무슨 생각인들 하지 않았겠으며, 만일 마음대로 된다면 누군들 피곤해 하겠는가. 그러므로 천자天子가 한번 노하면 송장이 만리에 덮인다 하나니, 그보다 낫다한들 공연히 분주하게 채찍으로 갈기고 결박하고 때려 죄업이 많았을 것이며, 이러한 때에 어디서 말하기를, '나는 선한 말(誡誠)을 의지하였다.' 하겠는가. 오직 고초가 더 심하지 않기만을 바랐을 것이니라. 이 뜻으로 짓는 악은 여러 중생에게 통하는 것이니, 지혜 있는 이나 어리석은 이가 다 면하지 못하며, 귀하고 천한 이가 모두 그런 것이어서, 하루도 부끄러워 뉘우친 적이 없으리라.

오늘, 이 도량의 동업대중이여, 진에瞋恚의 번뇌는 깊은 것이어서, 비록 버리고자 하나 경계를 대하여 이미 발하였고, 동하기만 하면 악과 더불어 함께 하는 것임에 어느 때에나 이 괴로움을 면할 수 있겠는가. 대중이여, 이미 그런 죄를 알았으니, 어찌 태연하게 참회하지 않을 수 있겠는가. 우리는 오늘 간절하게 정성을 다하여 이 죄를 참회해야 하리니, 마땅히 각각 다 같이 간절하게 5체투지하고 세간의 대자대비하신 부처님께 귀의할지니라.

지심귀명례 미륵불 彌勒佛

지심귀명례 석가모니불 釋迦牟尼佛

지심귀명례 무소부불 無所負佛

지심귀명례 월상불 月相佛

지심귀명례 전상불 電相佛

지심귀명례 공경불 恭敬佛

지심귀명례 위덕수불 威德守佛

지심귀명례 지일불 智日佛

지심귀명례 상리불 上利佛

지심귀명례 수미정불 須彌頂佛

지심귀명례 치원적불 治怨賊佛

지심귀명례 연화불 蓮華佛

지심귀명례 응찬불 應讚佛

지심귀명례 지차불 智次佛

지심귀명례 이교불 離憍佛

지심귀명례 나라연불 那羅延佛

지심귀명례 상락불 常樂佛

지심귀명례 불소국불 不少國佛

지심귀명례 천명불 天名佛

지심귀명례 견유변불 見有邊佛

지심귀명례 심량불 甚良佛

지심귀명례 다공덕불 多功德佛

지심귀명례 보월불 寶月佛

지심귀명례 사자상불 師子相佛

지심귀명례 요선불 樂禪佛

지심귀명례 무소소불 無所少佛

지심귀명례 유희불 遊戲佛

지심귀명례 사자유희보살 師子遊戲菩薩

지심귀명례 사자분신보살 師子奮迅菩薩

지심귀명례 무변신보살 無邊身菩薩

지심귀명례 관세음보살 觀世音菩薩

또, 시방의 다함없는 모든 3보께 귀의 하옵나니, 바라옵건대 자비한 힘과 무량무변하고 자재하신 힘으로 저희들이 금일 4생 6도와 부모와 사장과 일체 권속을 대하여 뜻으로 맺은 모든 원결에서, 대상이 되거나 대상이 아니거나, 경하거나 중하거나 참회함을 받으소서. 이미 맺은 원결은 참회하여 제멸하오며, 아직 맺지 않은 원결은 다시 맺지 않겠나이다. 원컨대 3보의 힘으로 가피하여 섭수하시며, 어여삐 여겨 두호하사 해탈케 하여 지이다.

저희들이 무시이래로 금일에 이르도록 뜻으로 지은 악업의 인연으로 4생 6도와 부모와 사장과 모든 권속에게 맺은 원결에서, 경하거나 중하거나 간에 오늘 참괴하여 발로 참회하오니, 일체의 원결을 모두 제멸하여주소서.

또, 무시이래로 금일에 이르도록 3독으로 인하여 탐심을 일으키고 탐욕과 번뇌로 인하여 탐업을 일으키되, 감추어져 있거나 드러났거나 간에, 다함없는 모든 법계에 있는 다른 이의 소유물에 대하여 나쁜 생각을 내어 내가 가지려 하였으며, 내지 부모의 물건, 사장의 물건, 권속의 물건, 일체중생의 물건, 천인의 물건, 신선의 물건 등, 이런 물건들을 다 자기의 것으로 생각하려는 그런 죄악이 무량무변한 것을 오늘 참회하여 제멸하기를 원하나이다.

또, 무시이래로 금일에 이르도록 성내는 업을 지어 밤낮으로 불타면서 1시 1각도 쉬지 아니하고, 조금만 뜻에 안 맞아도 크게 성을 내어 모든 중생에게 갖가지 피해를 입히되, 혹은 채찍으로 갈기고, 혹은 물에 빠뜨리며, 내지 압박하여 굶주리게 하며, 매어달고 가두는 등, 진심으로 지은 무량한 원결을 오늘 참회하여 제멸하기를 원하나이다.

또, 무시이래로 금일에 이르도록 무명을 따라서 우치한 업을 일으켜 모든 악업을 두루 지었으며, 바른 지혜가 없고 삿된 말을 믿으며, 삿된 법을 받는 등, 이런 우치한 업으로 원결을 맺은 것이 무량무변한 것을 오늘 참회하여 제멸하기를 원하나이다.

또, 무시이래로 금일에 이르도록 열 가지 사도邪道를 행하여 모든 원결을 맺고, 모든 업을 지어 생각마다 반연하여 잠깐도 버리지 못하며, 6정情을 선동하여 원결의 업을 지었으되, 혹 몸과 입으로 그 일을 성취하지 못하면 마음이 혹독하여지고, 내지 희롱거리로 시비를 일으키며, 순직한 마음으로 사람을 대하지 않고, 항상 왜곡된 생각으로 참회함이 없나니, 이러한 죄가 무량무변하여 6도 중생에게 큰 괴로움을 받게 한 것을 오늘 참회하여 제멸하기를 원하나이다.

저희들이 무시이래로 금일에 이르도록 신업이 선하지 못하며, 구업이 선하지 못하며, 의업이 선하지 못하여, 이러한 악업을 부처님께 일으킨 일체 죄업과, 법보에게 일으킨 일체 죄업과, 모든 보살과 성현에게 일으킨 일체 죄업이 무량무변한 것을 오늘 지성으로 참회하여 제멸하기를 원하나이다.

또, 무시이래로 금일에 이르도록 몸의 3업과 입의 4업과 뜻의 3업으로 5역죄와 4바라이의 죄를 지은 것을 오늘 참회하여 제멸하기를 원하오며, 또 무시이래로 금일에 이르도록 6근·6진·6식과 허망하게 뒤바뀐 생각으로 모든 경계를 반연하면서 지은 일체 죄악을 오늘 참회하여 제멸하기를 원하오며, 또 무시이래로 금일에 이르도록 섭률의계攝律儀戒와 섭선법계攝善法戒와 섭중생계攝衆生戒를 범한 죄가 많아 죽은 뒤에 3악도에 떨어지되, 지옥 중에서 받을 항하의 모래알과 같이 수없이 많은 죄와, 아귀도에 떨어져 아는 것은 없고 항상 받을 기갈이 심한 괴로움과, 축생에 떨어져 받을 무량한 고통과, 음식은 부정하고 굶주리고 추위에 떠는 고난과 괴로움과, 인간에 태어나되 삿된 소견을 가진 집에 태어나 마음이 항상 아첨하고 왜곡되며, 삿된 말을 믿고 바른 도를 잃어버리며, 생사고해에서 빠져나올 기약이 없을 것이니, 3세의 모든 원결이 이루 말할 수 없어 오직 부처님만이 모두 알고 보시리니, 부처님께서 알고 보시는 모든 죄보를 오늘 참회하여 제멸하기를 원하나이다.

바라옵건대, 부처님의 대자비력과 대신통력과 중생을 조복하는 힘으로써, 저희 제자들이 오늘 참회하는 모든 원결을 곧 제멸케 하시며, 6도 4생 중에서 오늘 원한의 대상이 되는 이와, 대상이 되지 않는 이들까지도, 부처님과 지위가 높은 보살과 일체 현성의, 대자비력으로 이런 원수들을 끝까지 해탈케 하며, 오늘부터 보리에 이를 때까지 모든 죄업이 필경 청정하며, 악도에 태어나지 않고 정토에 나게 하며, 원결의 생활을 버리고 지혜의 생활을 얻으며, 원결의 몸을 버리고 금강 같은 몸을 얻으며, 악도의 괴로움을 버리고 열반의 낙을 얻으며, 악도의 괴로움을 생각하고 보리심을 발하며, 자비희사와 6바라밀이 항상 앞에 나타나고, 네 가지 변재와 여섯 가지 신통이 뜻과 같이 자재하며, 용맹정진하여 쉬지 아니하며, 내지 닦아 나아가 10지행을 만족하고, 도리어 무변한 일체중생을 제도하여지이다.

오늘, 이 도량의 동업대중이여, 과거·현재의 4생 6도와 미래의 세계가 다하도록까지 일체중생이 오늘의 참회로써 함께 청정하며, 함께 해탈하며, 지혜를 구족하고 신통력이 자재하며, 모든 중생이 금일부터 보리에 이르도록 항상 시방의 다함없는 부처님의 법신을 보며, 모든 부처님의 32상과 자마금신을 보며, 모든 부처님께서 80종호의 형체를 나누어 시방에 가득하여 중생을 구제하는 몸을 보며, 모든 부처님이 미간 백호상의 광명을 놓아 지옥고를 구제함을 보도록 발원할지니라.

또 원컨대, 오늘 이 도량의 동업대중이 지금 참회하는 청정한 공덕의 인연으로 금일부터 몸을 버리거나 몸을 받되, 확탕지옥과 노탄지옥에서 형체를 볶는 고통을 경험하지 않으며, 아귀의 세계에서 목구멍은 바늘 같고 배는 북과 같아서 기갈을 참는 고통을 경험하지 않으며, 축생의 세계에서 빚과 목숨을 갚느라고 몰려다니면서 가죽을 벗기는 고통을 경험하지 않으며, 인간세계에서 사백네 가지 병이 몸에 침노하는 고통과 더위와 추위를 참아야 하는 고통과, 칼과 작대기와 독약으로 해롭게 하는 고통과, 굶주리고 목마른 곤핍한 고통을 경험하지 않게 하여 지이다.

또 원컨대, 이 대중이 오늘부터 청정한 계행을 받들어 더럽히려는 마음이 없고, 항상 인의仁義를 수행하며 은혜 갚을 생각을 가지고 부모공양하기를 세존을 받들 듯이 하며, 스승 섬기기를 부처님을 대하듯 하며, 국왕 공경하기를 부처님의 법신을 대하듯이 하며, 다른 일체에 대하여도 제 몸과 같이 하여 지이다.

또 원컨대, 이 대중이 오늘부터 보리에 이르도록 깊은 법을 통달하여 두려움이 없는 지혜를 얻고, 대승을 밝게 해석하여 정법을 분명히 알되 스스로 알게 되고, 다른 이를 말미암아 깨닫지 아니하며, 한결같이 견고하여 불도를 구하며, 도리어 그지없는 일체중생을 제도하여 여래와 함께 정각을 이루어지이다.

오늘의 이 도량에 있거나 없는 대중이 발하는 조그마한 소원을 증명하소서. 저희들의 소원은 성현이 계시는 곳에 나서 도량을 건립하고 공양을 이바지하며, 중생들을 위하여 큰 이익을 지으며, 항상 3보의 자비로 섭수함을 받으며, 세력이 있어서 교화를 행하며, 항상 정진하고 닦아서 세상의 낙에 집착하지 않고 일체 법이 공함을 알며, 원수와 친한 이를 다 같이 잘 교화하며, 보리에 이르도록 마음이 물러가지 않으며, 오늘부터는 조그만 선도 다 원력을 도와지이다.

또 원컨대, 인간에 태어나면 선행을 닦는 집에 나서 자비도량을 건립하여 3보께 공양하고, 조그만 선도 모두에게 베풀어 화상과 아사리를 항상 떠나지 않으며, 나물밥을 먹고 애욕을 끊어 처자를 필요로 하지 않으며 충성하고 정직하고 인자하고 화평하며, 나에게 해로워도 남을 구제하고 명리를 구하지 말아 지이다.

또 원컨대, 만일 이 몸을 버리도록 해탈을 얻지 못하고 귀신 중에 나게 되면, 대력귀왕大力鬼王과 호법선신護法善神과 제고濟苦선신이 되어 옷과 밥을 도모하지 않아도 자연히 배부르고 따뜻하여 지이다.

또 원컨대, 이 몸을 버리도록 해탈을 얻지 못하고 축생 중에 나게 되면, 항상 깊은 산에 살면서 풀을 먹고 물을 마시되 괴로움이 없으며, 나오게 되면 상서로운 짐승이 되어 속박을 받지 말아 지이다.

또 원컨대, 이 몸을 버리도록 해탈을 얻지 못하고 아귀 중에 떨어지면, 몸과 마음이 안락하여 모든 시끄러움이 없고, 같은 동족을 교화하여 모두 허물을 뉘우치고 보리 심을 발하여 지이다.

또 원컨대, 이 몸을 버리도록 해탈을 얻지 못하고 지옥 에 떨어지게 되면, 스스로 전세의 인연을 알고, 같은 동족 들을 교화하여 모두 허물을 뉘우치고 보리심을 발하여 지이다.

저희들은 항상 보리심을 생각하고 보리심이 항상 계속 하고 끊이지 않고자 하옵나니, 시방의 일체 제불과 지위 가 높은 보살과 일체 성인은 자비심으로 저희를 위하여 증명하시며, 또 모든 하늘과 신선과 호세 4천왕과 선을 주장하고 악을 징벌하며 주문을 수호하는 5방 용왕과 용신 8부는 함께 증명하소서. 다시 지성으로 3보께 귀의하나이다.

찬불축원 讚佛祝願

대성 세존께서 외외당당巍巍堂堂하사
3달三達의 지혜로 환히 비치시니
여러 성인 중의 왕이시네.
몸을 나누어 제도하시며
도량에 앉으시니
인천人天이 귀의하여
법을 물음이 그지없고
여덟 가지 뛰어난 음성 멀리 퍼짐에
마군들이 놀라며
위엄이 대천세계에 떨치니
자비로 교화하심 멀리 미치네.

자비하신 힘으로
시방을 섭수하사
여덟 가지 괴로움 영원히 하직하고
보리의 고향에 이르게 하시네.

그러므로 여래·응공·정변지·명행족·선서·세간
해·무상사·조어장부·천인사·불세존이라 하시나니,
한량없는 사람을 제도하여 생사의 괴로움에서 구제하시
나이다.

이제 참회하고 부처님을 찬탄한 공덕 인연으로 4생 6도
의 일체중생이 오늘로부터 보리에 이르도록 부처님의 신
통력으로 자유자재하여지이다.

찬 讚

마음이 몸과 입을 시키며
서로 원인이 되어 짓고 변하면서

여섯 갈래로 다니며 허물을 일으켜
원결의 대상이 되고 얽혔으나
부처님의 자비를 의지하여
배를 옮겨 번뇌의 강을 건너네.
나무 현전지보살마하살 現前地菩薩摩訶薩(3번)

출참 出懺

여래께서 옛날에 행하신 6념의
대자비문은 말로 할 수 없나니
이렇게 수행하기 그지없으사
견고하여 파괴되지 않는 몸 얻으셨으며
자비는 광대하시고
지혜는 한량없으사
6시時로 정진을 더 힘써
6바라밀 더욱 밝으시었네.
바라건대 부처님 감응하사 이루어주소서.
이제까지 참회하는 저희들

자비도량참법을 수행하여

제6권이 끝나니

공功과 과果가 원만하나이다.

훌륭한 향을 사르고

휘황하게 등을 켜며

일곱 가지 진수 차리고

아름다운 차를 받들어

이 법회의 성현과

단상을 살피시는 신장께 공양하오니

이 선한 공덕을 모아

여러 중생에게 입혀지이다.

참회하는 저희들

세세생생에 이어 내려오는 업장 씻어버리고

6天천의 쾌락 증장하려 하오니

바라옵건대

6근根이 청정하여 아침 해가 허공에 뜬 듯

6식識이 원명하기 가을 달이 물에 비치듯

받아들이는 일 모두 반야의 인因이 되고

여섯 가지 애욕과 번뇌로 원명한 결과를 얻고

여섯 가지 수승한 일, 이 세계 저 세계에서 이루고

6바라밀은 천상과 인간에 원만하여

4생과 6도 함께 해탈을 얻고

9유有와 3도途 모두 괴로움 벗어지이다.

깊은 사정 구비하지 못하고

무거운 허물 말할 수 없음에

거듭 여러 대중들

함께 참회하나이다.

찬 讚

양황참 6권의 공덕으로

저희들과 망령이 6근으로 지은 죄 소멸되고,

보살의 현전지(現前地: 보살 10지의 제 6위. 여기서는 연기

의 모습이 눈앞에 나타난다.)를 증득하며,

참문懺文 외우는 곳에 죄의 꽃이 스러지며,

원결을 풀고 복이 더하여 도리천에 왕생하였다가

용화회상에서 다시 만나

미륵 부처님의 수기를 받아 지이다.

나무 용화회보살마하살 龍華會菩薩摩訶薩(3번)

거찬 擧讚

양황참 제6권 모두 마치고

4은恩과 3유有에 회향하오니

참회하는 저희들

수복이 증장하며

망령들은 정토에 왕생하여 지이다.

현전지 보살 어여삐 여기사 거두어주소서.

나무 등운로보살마하살 登雲路菩薩摩訶薩(3번)